ALTO SECRETO

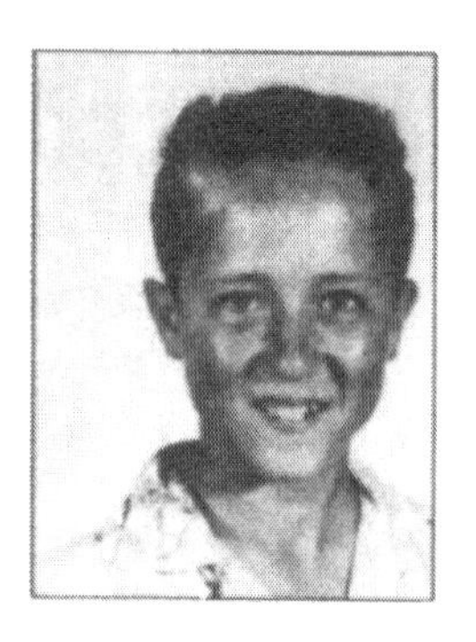

JOHN REYNOLDS GARDINER trabajó en la *Lanzadera espacial,* ha escrito algunos guiones para la televisión y diseñó para la Num Num Novelty Company, una corbata de plástico rellena de agua y de pececitos de colores. Natural de Los Ángeles, ha viajado mucho y actualmente vive en Huntngton Beach (California) trabajando como ingeniero y organizando cursos de literatura infantil.

MARC SIMONT nació en Francia y pasó sus primeros años en Barcelona. Estudió en París y en Nueva York. Es uno de los ilustradores más cotizados y premiados en los Estados Unidos de América.

John Reynolds Gardiner

ALTO SECRETO

Traducción de Guillermo Solana Alonso

EDITORIAL NOGUER, S.A.
Barcelona-Madrid

GARDINER, John Reynolds
Alto secreto

Resumen: A pesar de la desautorización de su padre y de su profesora de ciencias, Allen, un niño de nueve años, decide llevar adelante su investigación sobre la fotosíntesis humana.
1. Novela de aventuras. 2. Novela de ciencia ficción. 3. Novela de humor.

Título original: Top Secret
Traducción: Guillermo Solana Alonso
Cubierta e ilustraciones: Marc Simont

ISBN: 84-279-3396-7
Depósito legal: M. 33.076-1993

A las ideas del mañana...

Agradecimiento

He de dar las gracias a Andrew J. Galambos por sus numerosos conceptos e ideas, basados en su teoría de la propiedad primaria y de la ciencia de la volición, que aparecen en este libro.

También deseo expresar mi gratitud a mi padre, Glenn Gardiner, y a su sentido del humor, que tanto comparto. Me siento además agradecido a Elizabeth Isele y el equipo de Little Brown, por su apoyo y dirección entusiastas; a Bárbara Fenton por su ayuda en el desarrollo de este relato; a Jane Penderghast-O'Reilly por su aportación a la comercialización de la obra; y a Gloria, mi encantadora esposa y compañera fiel, cuyo interés por la vida es inspiración de mi trabajo.

Y a Bob Hudson, Martin Tahse, Sylvia Hirsch, Wells Root, Sy Gomberg y Ken Gardiner.

Prólogo

Escribo esto por si algo me sucediera.

Me llamo Allen Brewster. Tengo nueve años. Vivo en el número 4.152 de Vía Solano. Es la casa grande de dos pisos. La que tiene tejas.

Hoy es sábado, veinte de junio. Hace dos semanas que empezaron las vacaciones de verano. Son las diez y media de la noche.

En la calle hay un coche de color pardo con dos hombre dentro. Vigilan la casa. He apagado las luces de mi habitación para que crean que estoy dormido. En realidad, escribo esto bajo la colcha, al dorso de mi antiguo cuaderno de ciencias. Será mejor que me apresure porque las pilas de mi linterna no durarán eternamente y tengo mucho que contar.

Mi historia comienza hace varios meses en la clase de ciencias de la señorita Green...

1

La señorita Green

Era el día en que teníamos que decirle a la señorita Green en que iban a consistir nuestros trabajos de ciencias. Yo estaba nervioso porque se me había ocurrido algo verdaderamente grandioso.

A la señorita Green le preocupan mucho estos trabajos de ciencias. Al final del año se celebra una Exposición de Ciencias en la que están representadas escuelas de todo el país. Hay premios y galardones y un *trofeo de plata* para el mejor trabajo.

Se da también un galardón al mejor profesor de ciencias y jamás se lo han dado a la señorita Green. Pero lo desea. Y esa es la razón de que el trabajo de ciencias resulte más importante que los deberes de todos los días o incluso que los exámenes. El año pasado la señorita Green llegó a suspender a dos chicos porque sus trabajos no eran suficientemente buenos.

* * *

—A callarse todo el mundo —dijo la voz de la señorita Green y por un instante se hizo el silencio en el aula.

Trabajos de ciencias
Applegate — GRANJA DE HORMIGAS
Brewster —

La señorita Green se volvió hacia la clase, de pie, con las manos en las caderas y la boca fruncida. Era un mujer corpulenta, de enorme cabeza y un grueso labio inferior, contraído como el de un bulldog.

—Empecemos contigo, Peggy.

La señorita Green escribiría el nombre de cada alumno en la pizarra por orden alfabético, empezando por Peggy Applegate.

Yo sería el siguiente.

—Una granja de hormigas —dijo Peggy, que estaba sentada a mi derecha.

—¡Ponte de pie cuando me hables!

Peggy se levantó al instante, sacudiendo sus coletas.

—Lo siento, se me olvidó —respiró hondo—. Quiero hacer una granja de hormigas para mi trabajo de ciencias, si le parece.

La señorita Green gruñó.

—En los veinte años que llevo enseñando, jamás ha pasado uno sin granja de hormigas. ¿Por qué iba a ser diferente este año?

Cuando se dirigió a la pizarra chillaron sobre el lustroso linóleo las suelas de sus zapatos que dejaban unas huellas como las rodaduras de un tractor.

—¿En dónde están todos los pensadores del mañana? ¿Y los científicos? ¿Y los ingenieros? Alguna vez tuvieron que ser niños. ¿No es cierto?

Con sus dedos regordetes tomó una tiza.

—¡Cuánto tiempo llevo anhelando hallar en mi clase a algún alumno con una idea original! Alguien que demuestre una verdadera imaginación. Sólo uno. Me parece que no es demasiado pedir.

La señorita Green escribió en la pizarra y con mayúsculas las palabras GRANJA DE HORMIGAS junto al nombre de Peggy.

—Allen Brewster —dijo de un modo que parecía más un ladrido que mi nombre.

Cuando me levanté, mi corazón empezó a golpearme en el pecho. Me di cuenta de que en la clase todos me miraban. Yo estaba deseando explicar a la señorita Green mi trabajo. Había dicho que quería algo original. Pues bien, iba a tenerlo.

—Tengo una idea —afirmé— con la que voy a ganar el *trofeo de plata.*

Toda la clase se echó a reir.

Peggy Applegate se volvió hacia mí en su asiento y me sonrió con sus dientes llenos de alambre. Barry Cramer, que se sienta detrás de mí y es el chico más bruto de cuarto, empezó a dar patadas a mi silla.

Hasta la propia señorita Green parecía a punto de reírse.

—¿Conque el trofeo de plata? —dijo—. Mira, Allen, tú sabes que, por lo general, ese trofeo es para un chico de secundaria. Jamás lo ganó uno de primaria.

—Una vez lo consiguió un chico de décimo.

—Sí —admitió la señorita Green—. Pero, Allen, ése era un genio.

—A lo mejor yo lo soy también —contesté.

Todos volvieron a reírse.

—Créeme, Allen —dijo la señorita Green—. Nada me gustaría tanto como que ganaras el trofeo de plata. Pero tenemos que ser realistas. Una cosa es desear algo y otra ser capaz de lograrlo.

—¿Pero es que ni siquiera quiere conocer en qué consiste mi idea?

—Claro —replicó la señorita Green, mirando por encima de mi cabeza al reloj que hay al final del aula—. Pero procura ser breve. Tienen que hablar todos.

Estaba seguro de que cuando la señorita Green oyera lo que tenía que decirle, cambiaría de opinión.

—Mi trabajo va a ser sobre la *fotosíntesis humana* —declaré.

La señorita Green no dijo nada. Se limitó a mirarme.

—Tuve esa idea anoche, mientras cenaba —le expliqué—. Mi madre pone hígado todos los jueves. Y no soporto el hígado. Entonces me vino aquello a la cabeza. Las plantas no necesitan comer. ¿No es cierto? ¿Por qué entonces los seres humanos? ¿Por qué no podemos obtener directamente nuestra alimentación del sol del mismo modo que hacen las plantas?

—¿Quieres decir que nuestro alimento sería la luz solar?

—Sí. Y un poco de agua.

—¿Es ésta tu brillante idea? ¿Con la que piensas ganar el trofeo de plata?

—Sí. No habrá otro trabajo más original que el mío en toda la Exposición de Ciencias. Estoy seguro. ¿Y sabe algo más, señorita Green? Pues, que probablemente usted ganará el premio para el mejor profesor de ciencias, por ser tan buena mi idea.

Parecía como si la señorita Green fuese totalmente incapaz de pronunciar una sola palabra. Durante largo tiempo se frotó la cara con sus manos. Cuando por fin me miró, tenía los ojos enrojecidos.

—Esa es indudablemente la idea más ridícula para un trabajo de ciencias que yo haya oído en toda mi vida.

—¿Por qué? Usted dijo que quería algo original.

—Lo primero de todo —declaró la señorita Green—. El misterio de la fotosíntesis de las *plantas*, el proceso por el que las plantas transforman en alimentación la luz del sol, ha sido descubierto hace poco y aún hay puntos que no están explicados del todo.

—Y, en segundo lugar, es imposible adaptar la fotosíntesis a las personas.

—¿Por qué?

—Sencillamente, es así.

—Pero ¿por qué? Tiene que haber alguna razón. Simplemente, lo que pasa es que usted no la conoce.

Los párpados de la señorita Green se contrajeron y entre ellos apenas cabía el filo de una hoja de afeitar.

—Hay algo que yo sé, Allen Brewster. Se te dijo que hoy tenías que traer una idea para el trabajo y, evidentemente, no has cumplido con lo que se te mandó.

—¡Eso no es verdad!

—Así que permíteme decirte lo que voy a hacer. Como no eres capaz de pensar, yo pensaré por ti.

Se dirigió a la pizarra, tomó la tiza y escribió a la derecha de mi nombre: BARRAS DE LABIOS.

—Harás un trabajo sobre las barras de labios, Allen —dijo la señorita Green—. Y si no es el mejor trabajo sobre barras de labios que yo haya visto, te suspenderé en un abrir y cerrar de ojos.

—Pero ¿y la fotosíntesis humana?

—Suponiendo que sea posible, que no lo es, exigiría un genio, y créeme, Allen Brewster, tú no lo eres.

2

Allen

Me sentía furioso. La señorita Green no había sido justa conmigo. Yo tenía un trabajo. Lo que sucedía era que a ella no le gustaba.

Mientras iba en el autobús hacia casa, decidí que bajo ninguna circunstancia haría yo el trabajo sobre barras de labios. Resolvería el misterio de la fotosíntesis y lo adaptaría a las personas, justo como había dicho que haría.

Cerré los ojos y me imaginé la Exposición de Ciencias. Podía ver el trofeo de plata y a todos los chicos y chicas de la escuela reunidos alrededor de mi trabajo. Podía ver a la señorita Green, pidiéndome disculpas por haber dudado de mi capacidad. Y allí estaba Peggy Applegate. Y Barry Cramer...

¡Barry Cramer! *Podía* verle. Podía verle por el espejo retrovisor sobre la cabeza de Iván. Iván es el conductor de nuestro autobús y yo iba sentado tras él.

Clavé los ojos en el espejo retrovisor mientras Barry avanzaba lentamente hacia mí por el pasillo. Venía muy agachado, tratando de que no se le viera.

Y entonces distinguí lo que llevaba en la mano. Era

un lápiz de labios. No sabía qué pensaba hacer con aquello pero estaba seguro de que fuera lo que fuese no me gustaría.

Tenía que pensar en algo. Y deprisa.

Entonces tuve una idea genial. El único problema consistía en que había que actuar en el momento preciso.

Me adelanté lentamente hasta el borde del asiento, sin

dejar de observar a Barry por el rabillo del ojo. Ya estaba casi sobre mí. Podía verle como destapaba la barra de labios. Vi cómo su mano se tendía hacia mi cuello.

¡Ahora! Me puse en pie, moje un dedo con la saliva de la lengua, se lo pasé por el cogote a Iván y me senté. Todo sucedió en menos de dos segundos.

—¡Eh! —gruñó Iván, mirando por el espejo retrovisor directamente a la cara de Barry Cramer, que sujetaba el lápiz de labios.

Echó a Barry del autobús. Tendría que caminar mucho, muchísimo hasta llegar a su casa. Todo el mundo se rió y le silbaron.

—¡Te acordarás de esto! —me gritó Barry, mostrándome el puño.

—No me das miedo —le repliqué, sintiéndome muy valiente cuando se cerró la puerta ante las narices de Barry y el autobús reanudó su marcha. Sabía que no podía hacer nada, no tenía probabilidad alguna frente a Barry Cramer. Era por lo menos un año mayor que yo y bastante más alto. Repetía curso porque a la señorita Green no le gustó su trabajo de ciencias.

El autobús me dejó a media manzana de mi casa.

—Soy yo, Lince —grité a nuestra perra cuando tomé el sendero que lleva hasta la puerta principal de nuestra casa. Lince había empezado a ladrar. No ve mucho. Una vez le puse unas gafas sujetas con una goma pero no sirvieron de nada.

Nuestro gato, Rosquilla, me esperaba tendido en la galería. Me arrodillé y le acaricié en el estómago, con cuidado de retirar la mano a tiempo de que no me mordiera. Los gatos son muy extraños.

Rodeé la casa, sin entrar, buscando a mi abuelo. Tenía que contarle lo de la señorita Green.

—¡Hola, abuelo! —le dije cuando le vi.

El abuelo estaba arrodillado examinando algunos fresales. Llevaba unas zapatillas de tenis sin calcetines y un sombrero de paja que le cubría casi todo su pelo blanco.

—¿Quieres ver esto? —me dijo en voz baja, sosteniendo en su mano una hojita del fresal— ¿Ves ese bichito?

Al abuelo le tiembla el pulso, así que tuve que sujetar su mano para que la hoja dejara de moverse y ser capaz de fijarme. Todo lo que podía distinguir era un puntito negro en la hoja.

—¿Quieres decir ese puntito?

—Se trata de un gorgojo —explicó el abuelo— un condenado parásito tan malo como el peor.

Entonces me observó con sus lacrimosos ojos azules.

—Una vez vi la foto de una mosca, ampliada muchas veces. ¿Sabes lo que tenía en el cogote?

—No —le repliqué—. ¿Qué tenía?

—Pues un gorgojo —el abuelo se frotó el mentón—. Y entonces me puse a pensar ¿qué habrá en el cogote del gorgojo?

—¿Había algo?

—Lo ignoro. Pero de haberlo habido ¿sabes lo que habría pensado?

—¿Qué habría en el cogote de la cosa que estaba en el cogote del gorgojo?

—Acertaste —respondió el abuelo sonriendo.

—Jamás había pensado antes en eso —le dije.

—Piensa siempre en las cosas, Allen —el abuelo me miraba—. ¿Sabes lo que te pasa cuando no piensas?

—¿Qué?

—Pues que estás muerto.

Mi madre abrió la puerta trasera y me dijo a través de la rejilla:

—Allen, ya es hora de que pongas la mesa. Tu padre está al llegar.

—Sí, mamá, voy —le grité—. Tengo que hablarte después, abuelo.

Entré por la puerta trasera, cuidando de no dar un portazo con la rejilla. La casa olía a pollo frito. Por supuesto, mejor que el hígado. Dejé mis libros en el primer peldaño de la escalera, me lavé las manos en el cuarto de baño del piso de abajo y luego me dirigí a la cocina.

—¿Qué tal te ha ido hoy en la escuela, cariño? —me preguntó mi madre mientras se arrodillaba para besarme, pasándome por la cara sus largos cabellos castaños. Mamá siempre me llama cariño a no ser que esté enfadada conmigo.

—Bien —dije mientras sacaba del cajón los cubiertos—. Menos en la clase de ciencias de la señorita Green.

—Caramba, ¿qué pasó?

En realidad, nada —repliqué—. Sólo que yo quería hacer un trabajo de ciencias y la señorita Green quiere que haga otro.

—Será mejor que hagas lo que te dice tu profesora —declaró mi madre.

—Pero mamá —protesté— la señorita Green quiere que haga un trabajo sobre las barras de labios.

—¿Y que hay de malo en eso?

—Pues que no quiero hacer mi trabajo sobre barras de labios —repuse— eso es lo que hay de malo.

Oí acercarse un coche. Era papá. Quizá él lo comprendería.

—Soy yo —oí decir a mi padre cuando Lince empezó a ladrar. Luego percibí el ruido de sus pasos al acercarse a la casa. Después se interrumpieron. Papá estaría acariciando la tripa de Rosquilla.

—¡Uf! —gritó.

La puerta se abrió de golpe y entró mi padre, llevando su cartera. Se chupaba el pulgar.

—Ese maldito gato me ha mordido. La perra me ha ladrado. Vaya recibimiento el de esos dos.

Mi padre dio un beso a mi madre. Repito un B-E-S-O. Yo no sería capaz de aguantar tanto tiempo la respiración, por mucho que quisiera a alguien.

—¿Qué tal te fue el día? —preguntó mamá, como siempre hacía.

—Igual que siempre —respondió mi padre, como solía contestar. Papá aguardaba a que estuviéramos sentados a la mesa para explicarnos cómo había sido realmente su jornada.

Mi padre me cogió en brazos.

—¿Qué tal en clase? —preguntó.

—Como siempre —respondí.

—Eso no es lo que me has dicho a mí —comentó mi madre, mirando significativamente a mi padre.

—Cuéntamelo —dijo él, ya serio. No le gustaba que algo no fuese bien en la escuela.

Le expliqué todo lo referente a la fotosíntesis humana, a la Exposición de Ciencias, al trofeo de plata, a la señorita Green y a su estúpido trabajo sobre lápices de labios.

—Lo siento —declaró mi padre cuando hube acabado—, pero tu profesora tiene razón.

—¿Razón en qué?

—Ahora, escúchame —empezó mi padre. Era su manera habitual de comenzar cuando tenía que decirme algo que sabía que no iba a gustarme—. Los chicos de nueve años no van por ahí haciendo descubrimientos. Sobre todo de cosas como el misterio de la fotosíntesis humana. Eso no es un invento, como puede ser crear una nueva máquina. Se trata de descubrir un secreto de la Naturaleza. Han sido muy pocos los grandes descubrimientos logrados desde el principio de los tiempos y a los hombres que los consiguieron se les considera los más importantes en la Historia.

—¿Y qué?

—Ninguno tenía nueve años.

—Pues yo seré el primero.

—Hijo, atiéndeme —mi padre me sujetó por los hombros—. Haz tu trabajo sobre barras de labios como te ha dicho la señorita Green. Haz algo que sabes que puedes hacer.

—¡Bazofia! —dijo una voz.

Todos nos volvimos para ver al abuelo de pie en el umbral.

—Dejad que el chico averigüe por sí mismo lo que puede y lo que no puede hacer.

—Pero es que es imposible eso de que habla Allen —insistió mi padre.

—No es imposible —añadí—. No me importa lo que digan todos. Voy a hacerlo. Voy a resolver el misterio de la fotosíntesis humana.

3

Investigación

Al día siguiente el abuelo y yo celebramos una reunión secreta bajo el aguacate del patio trasero. Hablamos bajito aunque sabíamos que mamá y papá estaban durmiendo. Siempre se levantan tarde los sábados.

—¿Crees, abuelo, que de verdad puedo conseguirlo? —le susurré mientras cerraba la cremallera de mi cazadora. Hacía frío y humedad bajo el que olía a hojas secas.

El abuelo no dijo nada y se agachó a recoger un aguacate que había caído de árbol. Limpió la fruta con las dos manos y y luego empezó a cortarla con su cortaplumas dorado.

—Un descubrimiento —comenzó a decir el abuelo en voz muy baja— es como un aguacate cortado en muchos pedazos y cada uno escondido en un lugar diferente. Algunos pedazos resultan muy difíciles de hallar. Otros los tienes bajo las narices, tan cerca, en realidad, que no puedes verlos. Esta es tu tarea, Allen, la tarea de cualquier científico, de cualquier pensador: hallar los diferentes pedazos, unos tras otro, y luego juntarlos de la forma adecuada hasta que al final puedas ver...

—El aguacate —dije, olvidándome de hablar en voz baja.

—Acertaste... y te equivocaste.

El abuelo sostuvo el aguacate en su mano y empezó a hacerlo girar para mostrar que había cortado la mitad posterior.

Reflexioné por un momento hasta que comprendí lo que trataba de decirme el abuelo.

—No hace falta encontrar *todos* los pedazos para ver *toda* la imagen.

—¡Exacto! —el abuelo lanzó el aguacate al suelo y se palmeó una rodilla. Me pasó una mano por el hombro y al sonreír se formaron nuevas arrugas en torno a sus ojos —eres un chico listo, Allen Brewster.

—¿Pero cómo encuentro los pedazos, abuelo?

—Has de emplear las mismas *herramientas* que utilizaron todos los grandes descubridores del pasado.

—¿Son caras? Porque no tengo mucho dinero.

—No es necesario que compres esas herramientas, Allen. No cuestan dinero. Nacistes con ellas.

—¿Yo? ¿Cuáles son?

El abuelo me sacó de la sombra del aguacatero y me llevó a la clara luz del sol que ahora llenaba el patio trasero. Abrió los brazos y miró en torno suyo mientras hablaba.

—Sólo hay seis herramientas, Allen. Las cinco primeras son tus ojos, tus oídos, tu nariz, tu boca y tus dedos o tu piel.

—Los cinco sentidos. Vista, oído, olfato, gusto y tacto. Aprendimos eso en la escuela. ¿Cuál es la sexta herramienta, abuelo?

—La sexta herramienta es la más importante pero, siento decirlo, la menos empleada —señaló a su cabeza—. Es tu *cerebro*. Sin tu cerebro todas las informaciones que obtengas con las otras cinco herramientas resultarán inútiles. Sin tu cerebro, sin pensar, no es posible descubrimiento alguno.

—Entonces tengo que aprender todo lo que pueda acerca de la fotosíntesis y sobre las plantas y los animales y respecto de la diferencia entre unas y otros. Después podré usar mi sexta herramienta, mi cerebro, para conseguir al descubrimiento.

—¡Cierto! ¡Cierto! ¡Cierto! —el abuelo brincaba primero con un pie y luego con el otro mientras hablaba—. Puedo ver ya tu nombre en la enciclopedia... Allen Brewster, el descubridor de la *fotosíntesis humana.*

Saltamos tan alto como pudimos, lanzando un grito que despertó a mis padres.

Me desayuné tan aprisa que me parece que en realidad me medio bebí mi huevo frito. Quería ir inmediatamente a la biblioteca para empezar mis investigaciones sobre la fotosíntesis.

Por desgracia mi padre tenía otras ideas.

—Vamos al cuarto de estar, hijo —anunció—. Tengo algo que quiero enseñarte.

—Pero, papá, abrirán la biblioteca dentro de quince minutos y quiero empezar mi trabajo de ciencias.

—De eso, precisamente, se trata.

Y me sonrió. Estaba indudablemente de buen humor.

Pasamos la media hora siguiente sentados en el sofá del cuarto de estar, leyendo juntos la enciclopedia. Leí-

mos cosas —ya os lo habréis imaginado— sobre lápices de labios.

—Quiero ayudarte —dijo mi padre—. Haremos algunas fotos y las ampliaremos. Con muchos gráficos. Y en colores diferentes, colores como jamás se hayan presentado antes, como... amarillo tomate. Tu madre me ha prometido emplear un tono diferente de lápiz de labios cada martes, cuando vaya a la bolera.

—Es verdad —añadió mamá, que llegó para echar un vistazo. Sonreía pero advertí en su mirada que tal perspectiva no le entusiasmaba.

—Muchísimas gracias —dije levantándome. Comprendí que sería inútil empezar otra discusión. Además no quería perder tiempo, así que me limité a declarar:

—Ya os diré si necesito ayuda.

En bicicleta tardé un cuarto de hora en llegar a la biblioteca pública. Con el cuaderno en la mano subí corriendo la ancha escalinata de piedra de la entrada, abrí una de las pesadas puertas de cristal y entré a toda prisa.

—Buenos días, señora Herbosa —dije a la anciana bibliotecaria sentada ante su mesa. Los chicos la llamaban «La Sargento» porque era demasiado rígida.

La señora Herbosa se llevó un dedo a los labios para recordarme que tenía que hablar bajo.

—¿Qué te trae tan pronto por aquí, Allen Brewster?

—Voy a hacer un descubrimiento —le susurré—. Es para mi trabajo de ciencias de la escuela. Ganaré el trofeo de plata.

—¡Dios mío! —exclamó la señora Herbosa, llevándose una mano a la cara—. Eso parece difícil.

—Sí, muy difícil —reconocí. Y entonces señalé mi cabeza. —Hay que usar esto.

Después de que le expliqué a la señora Herbosa en qué consistía mi trabajo, me condujo a una parte especial de la biblioteca.

—Los libros de esta sección están dedicados a la *biología* —aclaró— que es el estudio de los seres vivos.

—Como la plantas y los animales.

—Sí, Allen, pero al estudio de las plantas lo llamamos *botánica* y al de los animales, *zoología* —le sonrió—. Buena suerte.

—Gracias, señora Herbosa.

Examiné cada libro que pude alcanzar, sobre todo los que mencionaban la fotosíntesis en el índice. Tomaba notas a medidas que los veía. Escribí tanto que empezó a dolerme la mano. Cuando me paré, tuve que enderezar mis dedos uno por uno.

Me tomé un respiro, para descansar y beber un vaso de agua.

La biblioteca se había llenado. Vi a varios chicos de la escuela, dedicados a sus trabajos. Allí estaba Peggy Applegate. Cuando se fijó en mí, dijo algo a sus amigas y todas alzaron la vista y empezaron a soltar risitas. Seguro que les había contado que mi trabajo era sobre barras de labios.

Busqué a Barry Cramer. No le encontré. Magnífico. Sin duda era mi día de suerte.

Al menos eso fue lo que creí entonces.

Pero cuando volví a mi mesa, estaba allí. Se había sentado en mi silla y leía mis apuntes. Me acerqué, y se limitó a mirarme y a sonreír.

Entonces comenzó a leer en voz alta.
—Para que la fotosíntesis funcione —dijo, sonriendo tras cada palabra—, se necesitan los siguientes ingredientes: agua, bióxido de carbono, luz solar y clorofila.
—Dame mi cuaderno —le dije.
—No tan deprisa. Aún no he llegado a lo mejor —y me lanzó otra de sus desagradables sonrisas.
Varios chicos habían comenzado a congregarse, incluyendo Peggy Applegate y sus estúpidas amigas.
—La hemoglobina —continuó leyendo Barry en mi cuaderno— hace roja nuestra sangre... la clorofila hace verde a una planta. ¿Podría existir una *conexión*?
Barry puso los ojos en blanco y sacó la lengua por un extremo de su boca.
Todo el mundo se echó a reir.
—Lárgate de mi silla —bramé, poniendo el gesto más feroz que me fuese posible.
—Prueba a echarme —replicó Barry con su peor gesto que, he de reconocer, le salía muy bien.
Entonces advertí que la señora Herbosa venía hacia nosotros. Evidentemente, había oído el ruido que hacíamos y acudía a saber lo que pasaba. Al verla tuve una idea.
—Lo menos que puedes hacer —dije a Barry— si tienes que leer algo importante es decirlo con claridad para que todo el mundo pueda oírte.
Estas palabras hicieron reir al grupo. No mucho, pero al menos lo suficiente para que Barry se enfureciera, que era precisamente lo que yo pretendía.
Barry se puso de pie y empezó a leer en voz muy alta lo que estaba escrito en mi cuaderno.
—Para que sea posible la *fotosíntesis humana*, la he-

moglobina de nuestra sangre tiene que actuar de algún modo como hace en una planta...

—¡La Sargento! —anunció alguien y todo el mundo se dispersó.

Mas para Barry Cramer ya era demasiado tarde. La señora Herbosa le cogió por una oreja. Entonces procedió a echarle de la biblioteca. Al cruzarse conmigo, quité a Barry mi cuaderno.

Volví a mi mesa, respiré aliviado y continué mi investigación.

Pasaron las horas. No sé cuántas.

«Sangre humana», me dije a mí mismo, mordisqueando el extremo de mi bolígrafo. «Esto tiene que ser. Todo apunta hacia ahí. ¿Pero contiene la sangre humana todos los ingredientes necesarios para que pueda tener lugar la fotosíntesis?»

Escribí lo siguiente en mi cuaderno:

Necesario para la fotosíntesis	*Sangre humana*
1. Agua	*1. La sangre es principalmente agua*
2. Bióxido de carbono	*2. La sangre lleva bióxido de carbono a nuestros pulmones por donde lo exhalamos*

3. *Luz solar*	3. *Los que tenemos sangre absorbemos luz del sol a través de nuestra piel para elaborar Vitamina D*
4. *Clorofila*	4. *La sangre contiene hemoglobina que posee una estructura química similar a la de la clorofila.*

Pero el hecho de que la hemoglobina y la clorofila fuesen parecidas no significaba nada. Tenían que ser iguales. Había de existir algún medio de hacer que fuesen iguales.

Cuando tomé otro libro; oí mi nombre.

—¡Allen Brewster!

Me volví al punto y vi a la Sargento.

—¿Todavía sigues aquí? —dijo la señora Herbosa—. Iba ya a cerrar y me alegro de haber dado esta vuelta porque de otro modo habrías tenido que pasar aquí la noche.

—Me quedaré toda la noche —declaré—. No me importa. Fíjese, estoy a punto de hacer mi descubrimiento. No puedo marcharme, señora Herbosa. No, por favor...

—Jovencito, no seas tonto. Venga, recoge tus cosas mientras apago las luces.

—Pero señora Herbosa...

—Lo siento Allen. Tu descubrimiento tendrá que esperar.

4

Descubrimiento

Al día siguiente no volví a la biblioteca. En realidad, no fui a ningún sitio. No me dejaron. Parece que mis padres se alteraron mucho por haberme quedado hasta tan tarde en la biblioteca, sobre todo, cuando dije de pasada que no había estado preparando el trabajo de barras de labios.

Al principio también yo me sentí alterado, pero del modo en que se desarrollaron las cosas tuve motivos para alegrarme de haberme quedado en casa todo el día.

Pasé la mañana en mi habitación, leyendo los apuntes de mi cuaderno. Por la tarde, cuando mi padre dormía en el sofá y mi madre estaba en el estudio tocando el piano, me deslicé por la puerta trasera para hablar con el abuelo.

El abuelo estaba descansando en una hamaca de la galería, oyendo algunos discos antiguos en su fonógrafo viejo. Le hice señas de que no dijera nada hasta que hubiese cerrado la puerta de atrás. Elevó un poco el volumen de su fonógrafo. Ambos hicimos un signo de asentimiento, ahora ya podíamos hablar.

—Cuéntame más, sobre lo de ayer —dijo.

—Voy a enseñarte mi cuaderno de notas —repliqué.

—No, los científicos trabajan mejor solos. Sencillamente, dime lo que averiguaste.

—Creo que he hallado todas las piezas del asunto menos una. Tengo la seguridad de que si me hubiese quedado un poco más en la biblioteca...

—¿No estarás olvidándote de algo, Allen?

—¿De qué?

—¿Te acuerdas del aguacate que te enseñé que no era en realidad más que medio aguacate?

—Sí, lo recuerdo. ¿Quieres decir que no tengo que encontrar la última pieza para hacer mi descubrimiento?

—Sólo las piezas suficientes, dispuestas en el orden adecuado, para que puedas ver casi toda la imagen... Luego tienes que emplear la sexta herramienta —y señaló a su cabeza.

—Como la vez que desmonté mi bicicleta y traté después de montarla. Las piezas tenían que encajar de una cierta manera pero no conseguí recordar cuál.

—¿Qué hiciste entonces?

—Pues probar cada combinación que se me ocurrió hasta que por fin encontré la forma acertada.

El abuelo tornó a señalar su cabeza.

—Pero lo he intentado, abuelo. He tratado de encajar las piezas. Lo que pasa es que no consigo ver la imagen.

—¿Has probado a pensar como si estuvieses loco?

—¿Loco?

El abuelo sonrió y pestañeó.

—Si yo te dijera que esto que te estoy contando tan bajito lo puede oír alguien en China, al otro lado del mundo. ¿Pensarías que estoy loco?

—Pues claro —le respondí riendo.
—¿Y si estuviese hablando por teléfono?
—Eso es distinto.
—Sólo porque tú ves toda la imagen.
—Ya entiendo lo que quieres decir.
—Y si te dijese que el cielo está lleno de ondas que llevan imágenes...
—Televisión.
—Vas entendiéndolo, aprende a pensar como si estuvieses loco, Allen. Deja vagar tu mente. No tengas miedo de pensar cosas tontas, cosas estúpidas, cosas tan ridículas que te echarías a reir con sólo pensarlas. Ahí reside el poder de la sexta herramienta, Allen, en pensar cosas que nadie pensó antes.
—Lo comprendo.
Y tras esto, el abuelo puso otro disco, se recostó en su hamaca y cerró los ojos.
Abrí mi cuaderno por una página en blanco y escribí las palabras PENSAR COMO UN LOCO. Inmediatamente debajo, hice las dos listas siguientes:

Plantas Fotosíntesis	Personas Fotosíntesis
1. Agua	1. Agua
2. Bióxido de carbono	2. Bióxido de carbono
3. Clorofila	3. Hemoglobina

La primera lista contenía los ingredientes necesarios que en presencia de la luz del sol hacen posible la fotosíntesis de las plantas. La segunda lista contenía tres sustancias que se hallan en nuestra sangre.

Me enfrentaba con el mismo problema de siempre. La pieza que faltaba. ¿Cómo conseguir que la hemoglobina de nuestra sangre haga lo que la clorofila hace en las plantas? Pero el abuelo decía que no necesitaba encontrar todas las piezas. Lo único que tenía que hacer era «pensar como un loco».

De acuerdo, Allen Brewster, ya puedes empezar.

«Adelante. Nadie te ve.»

No podía pensar.

«Inténtalo.»

Cerré los ojos con fuerza.

Nada.

En lo único en que podía pensar era en la música del disco del abuelo. La música. Ese disco ¿qué? Algo que el abuelo me contó una vez. Acerca de un obrero en una empresa. Una empresa que doraba discos. El obrero dejó caer un bocadillo de queso en la tina del oro. No se lo dijo a nadie. Pero el dorado resultó mejor de lo que hasta entonces había conseguido. El obrero confesó. Hicieron que la mujer del obrero preparase un montón de bocadillos de queso. Siguieron echándolos a la tina hasta que terminaron los análisis en el laboratorio y descubrieron que el ingrediente vital era el sodio del queso.

Pensar como un loco. Pensar como un loco.

Cuando quise darme cuenta estaba ya en la cocina abriendo armarios.

«¿Existía algo que yo pudiera comer», me dije a mí mismo, «que obligara a la hemoglobina de mi sangre a actuar como la clorofila en las plantas?»

Toda la imagen. Tratar de ver toda la imagen.

Empecé a hacerme un bocadillo de queso. Me detuve.

Aguarda un momento, pensé. Ya había comido bocadillos de queso. Muchísimos. Eso no podía ser.

«Quizás», me dije a mí mismo, «se trata de una combinación de cosas diferentes, las cosas precisas y en las cantidades oportunas».

¿Pero qué cosas?

Piensa como un loco.

¿Cualquier cosa? ¿Probar con cualquier cosa?

Eran demasiadas las cosas con que probar.

Y entonces me vino.

Corrí a buscar mi cuaderno. Me senté ante la mesa de la cocina y empecé a pasar las páginas. Había escrito algo en algún sitio. Todo lo que tenía que hacer era encontrarlo.

¡Allí estaba!

Había anotado en mi cuaderno las siguientes fórmulas químicas:

Clorofila: $C_{55}H_{72}O_5N_4Mg$
Hemoglobina: $C_{34}H_{32}O_4N_4Fe$

La diferencia más importante entre estas dos sustancias era que la clorofila contenía Mg (magnesio) mientras que la hemoglobina contenía Fe (hierro).

Pensar como un loco.

—Sólo probaré con las cosas que contengan magnesio —dije, dando un puñetazo en la mesa de la cocina.

Entré de puntillas en el cuarto de estar. Mi padre aún dormía en el sofá. Cogí el tomo de la M de la enciclopedia y volví a la cocina. Busqué la palabra «magnesio» y encontré la siguiente lista de alimentos que lo contenían: alubias, nueces, cereales e *hígado.*

¿No lo he dicho ya? No soporto el hígado.

Leí también que el agua salada contenía magnesio.

—Piensa como un loco —repetí.

Enchufé la batidora y empecé a echar cosas dentro, anotando exactamente la cantidad de cada cosa que empleaba.

Las únicas alubias que había eran unas mexicanas que habían sobrado de un refrito. Eché una cucharada grande. Encontré una lata de nueces pero estaba vacía. Decidí que emplearía en su lugar manteca de cacahuete (una cucharada grande). No teníamos granos así es que decidí emplear los cereales del desayuno (media taza).

Encontré algo de hígado crudo en el frigorífico. Corté el pedazo más pequeño, pero que fuera suficiente.

Estaba a punto de añadir algo de agua del grifo cuando me acordé de que la enciclopedia había mencionado el agua salada. Papá me mataría si se enteraba, pero fui al piso de arriba y tomé media taza de agua salada de su acuario, cuidando de no llevarme ningún pez.

Puse en marcha la batidora y mi potingue se convirtió en un espeso líquido oscuro.

Me serví un vaso.

Lo bebí.

Aquella noche no cené. No sentía hambre. Ni pizca.

Lo he conseguido —dije al abuelo antes de acostarme—. Ya no tendré que comer jamás.

Pero estaba equivocado.

Cuando me desperté al día siguiente, me moría de hambre. Además de mi desayuno habitual me tomé otro cuenco de cereales y otros dos vasos de leche.

Repetí el experimento unos días más tarde. El abuelo me ayudó a medir cada ingrediente. Esta vez añadí más hígado.

De nuevo me fui a la cama sin cenar. Pero esta vez, a la mañana siguiente, no sentí hambre. Ni siquiera probé mi comida en la escuela.

Lo había conseguido. Estaba seguro.

Equivocado.

A la hora de cenar sentía tanta hambre que fui el primero en sentarme a la mesa.

—Deja de morderte la mano —me increpó mi madre al servir el plato.

—Lo siento —respondí, sin saber lo que estaba haciendo.

Repetí dos veces. Jamás me había sabido tan bien una cena.

Pero no renuncié.

Realicé mi tercer experimento la tarde del domingo siguiente, cuando mis padres se fueron a dar una vuelta con el coche. Nos preguntaron al abuelo y a mí si queríamos acompañarles pero los dos rehusamos: teníamos trabajo que hacer.

—Parece —dije al abuelo— que cuanto más hígado echo, más tiempo puedo estar sin comer.

—Aciertas —declaró el abuelo con ojos de asombro—. Creo que has descubierto algo.

Mamá había ido de compras por la mañana así que había bastante hígado en el frigorífico. Saqué un pedazo grande y vistoso y lo puse sobre la tabla de la carne. Estaba a punto de cortarlo cuando me detuve.

—Todo sea por la ciencia —dije, encogiéndome de hombros al tiempo que echaba el pedazo entero a la batidora. Luego añadí los demás ingredientes.

Mantuve funcionando la batidora dos minutos más para asegurarme de que se trituraba todo el hígado.

Me serví un vaso.

Parecía muy espeso. Cerré los ojos y me tapé la nariz. Tomé un trago grande. Sabía a *hígado líquido*. Quise beber un poco más, pero sencillamente, no podía resistirlo.

No cené aquella noche. Sentía raro el estómago. Además me notaba aturdido. Cuando abría los ojos, la habitación empezaba a dar vueltas a mi alrededor.

Mamá estaba preocupada. Se sentó en el borde de mi cama y me frotó la espalda hasta que me quedé dormido.

Me desperté en plena noche.

¡Tenía sed! Me sentía capaz de beberme todo el Océano Atlántico, es decir, si no fuese de agua salada.

Por el pasillo, dejando atrás la puerta de la habitación del abuelo, llegué al cuarto de baño. Encendí la luz, abrí el armario y saqué mi vaso. Lo llené y bebí. Jamás me supo tan buena el agua. Volví a llenar el vaso y bebí una y otra vez. Y otra vez.

Cuando iba por el sexto vaso me miré al espejo.

Me quedé helado. No podía creer que estuviese así.

—Lo he conseguido —me dije a mí mismo, al principio en voz muy baja y luego más alto—. ¡Lo he conseguido! ¡Lo he conseguido!

Y empecé a dar saltos, gritando a pleno pulmón.

Mi madre fue la primera en llegar a la puerta del cuarto de baño. Me miró y luego se llevó una mano a la boca.

Mi padre llegó después.

—¿Qué es lo que te has hecho?

—Ha resuelto el misterio —declaró el abuelo al tiempo que se abría paso entre los dos—. Eso es lo que ha hecho.

El abuelo sonreía de oreja a oreja.

Me miré de nuevo en el espejo. Parecía perfectamente normal a no ser por un pequeño detalle. Mi piel se había vuelto de un verde intenso, del color de las hojas de un árbol.

5

Reacción

Mis padres me llevaron inmediatamente al hospital.

El abuelo no vino con nosotros. Se limitó a reir y volvió a la cama, diciendo que más verde se pondría el médico que nos atendiera.

En el hospital, me reconoció un médico alto y huesudo cuyos ojos estaban tan juntos que se tocaban sus cejas.

—Aunque nunca vi nada como esto —declaró a mis padres—, todos los análisis revelan que su hijo goza de una salud excelente. Yo diría que no tienen de qué preocuparse.

—¿Qué no tenemos de qué preocuparnos? —replicó mi madre, pasándome los brazos en torno—. ¿Por qué tiene entonces ese aspecto?

—¿Se refiere al color verde? Sinceramente, no lo sé.

—Pero... —intervino mi padre— usted es un médico.

—¿Y qué? No lo sabemos todo.

—Ya lo dije antes —declaré—. He resuelto el misterio de la fotosíntesis humana.

—Tiene mucha imaginación ¿verdad? —dijo el médico, arqueando sus cejas mientras hablaba.

—Me temo que sí —respondió mi madre.

—Es culpa de su abuelo —afirmó mi padre—. Siempre está dándole alas.

—¿Imaginación? —dije, alzando mi brazo verde—. ¿Y cómo llamaría usted a esto?

—Probablemente se trata tan sólo de una reacción alérgica a algo que comiste —declaró el médico—. Se te pasará en unos días.

—¿Debo dejarle en casa sin ir a la escuela? —preguntó mi madre.

—No hay ninguna razón para eso —respondió el médico—. Las alergias no son contagiosas.

Cuando llegamos a casa empezaba a amanecer. Vivimos en una colina desde la que se disfruta de una maravillosa vista de la ciudad allá abajo. Cuando papá acercó el coche a la casa pude ver cómo el sol asomaba por el horizonte. Era una visión tan maravillosa que descubrí que no conseguía apartar los ojos de allí.

Mis padres entraron en casa pero yo me quedé en el césped, contemplando el sol. Era como si lo viese por primera vez.

Haces de luz cruzaban el cielo y luego una brillante bola amarilla alzó e iluminó mi cara. Noté la más extraña de las sensaciones cuando los rayos del sol alcanzaron mi cuerpo. Era como si me cosquillearan millares de plumas. Empecé a reir por lo bajo y a notar suaves picotazos en mis brazos.

Extendí un brazo y lo observé. Verde, parecía ahora casi transparente. Juro que podía ver mis venas y la sangre fluyendo por dentro.

—Cariño —dijo mamá desde la puerta principal—. Ven y lávate para desayunar.

—En un minuto.

Mantuve la cara frente al sol. Me notaba tan a gusto que no deseaba que se acabaran aquellos instantes. Podía sentir en torno de mí a la hierba y a las demás plantas retornar a la vida. Yo pertenecía a su mundo, al aire libre, no bajo techado.

Oí a mi madre que alzaba su voz:

—¡Entra en casa ahora mismo!

—Sí —respondí y empecé a caminar hacia la casa. Pero tras unos pocos pasos, me detuve. Me volví otra vez hacia el sol. El sol. Qué bueno era el sol.

Recuerdo vagamente que mi madre corrió hacia mí y me dio un cachete en el trasero.

—Cuando te digo que vengas...

Pero no fui. Me quedé allí.

Recuerdo haber oído entonces mi propia voz, explicándole a mi madre lo del sol. Mi voz resonaba de un modo extraño, como si perteneciera a otra persona. Luego oí risas. Estaba riéndome.

Apareció mi padre. Me cogió de un brazo y tiró. Caí sobre la hierba húmeda. Mi padre me echó sobre su hombro y me llevó a casa.

En cuanto estuve dentro, lejos del alcance del sol, recobré mi dominio. Aún me sentía un poco mareado pero eso era todo.

—¿Estás bien, hijo? —me preguntó mi padre.

—Ahora muy bien, gracias —dije—. Era el sol. Tiene algún poder sobre mí.

Mamá y papá se miraron. No dijeron nada.

Para el desayuno mamá había preparado bollos calientes y salchichas con jarabe de arce. Mi plato favorito. Puso incluso un poco de jarabe sobre las salchichas.

Pero sucedió la cosa más extraña.

No podía comer.

—¿Qué te pasa, cariño? —preguntó mamá—. Creí que te gustarían estos bollos.

—Y me gustan. Sólo que... Sé que no vais a creerme pero me parece que no volveré a comer.

—¿Qué no volverás a comer? —inquirió mi madre.

—Claro —volvió a explicar—, ahora que he resuelto el misterio de la foto...

—Tómate el desayuno —me increpó mi padre, observándome por encima del periódico que estaba leyendo—. Y ahora mismo.

Me llené la boca. Pero no pude masticar. Lo intentaba pero no lo conseguía.

Mi padre volvió a mirarme por encima del periódico.

—Trágatelo —me ordenó cuando vio hincharse mis carrillos.

Dije que no con la cabeza.

Antes de que mi padre pudiese añadir nada más, me sentí mal. Pero me dio tiempo a llegar al cuarto de baño.

El autobús de la escuela pasaba a las siete y media.

De algún modo mi cuerpo se había acostumbrado al sol porque pude salir sin sentirme paralizado. Pero aún me sentaba bien. En realidad, mientras caldeaba mi cara, yo no podía dejar de sonreír.

Jugué con Lince y Rosquilla en el césped del jardín hasta que vi llegar el autobús, entonces crucé la calle a la carrera y subí.

En nuestra escuela hay chicos con piel de color cobrizo y chicos de piel negra pero yo sabía que un chico de piel verde resultaría excesivo.

Pues tenía razón.

En cuanto subí al autobús se desencadenó el alboroto. Los chicos empezaron a reír a carcajadas. Y sin parar. Barry Cramer se reía con tal fuerza que se escurrió en su asiento y se cayó al suelo del autobús.

Sólo dejaron de reír cuando Ivan desvió el vehículo

a un lado de la carretera y amenazó con dejar en tierra al próximo que se le ocurriera hacer el menor ruido.

—¿Qué es lo que te pasa? —me preguntó en un susurro Peggy Applegate desde el asiento situado detrás del mío.

—No me pasa nada —le respondí en el mismo tono.

—¿Por qué tienes entonces ese aspecto?

—Es parte de mi trabajo de Ciencias.

—Yo creí que tu trabajo era sobre lápices de labios.

—Lo era, pero ahora estoy haciendo otra cosa.

—¿Te refieres a la *fotosíntesis humana*?

—Exacto.

—¿Así que eres una planta? —Peggy lanzó una risita—. Déjame ver tu esquema.

—¿Qué esquema?

—El que tienes que presentar hoy. ¿O es que lo olvidaste?

Lo había olvidado. La señorita Green quería que todo el mundo entregase una sinopsis del trabajo. Había estado tan ocupado con mi descubrimiento que lo había olvidado.

—No importa —dije a Peggy por encima del hombro—. Cuando le diga a la señorita Green lo que he conseguido, ella lo comprenderá.

¡Cuán equivocado estaba!

—¿Qué crees que estás haciendo, Allen Brewster? —me gritó la señorita Green en cuanto entré en clase. Parecía verdaderamente enfadada—. ¿Qué es lo que pretendes presentándote en clase como si esto fuese una fiesta de carnaval?

—Usted no lo entiende, señorita Green.

—Claro que lo entiendo —declaró frunciendo aún más su labio inferior—. Precisamente hoy es el día en que tienes que entregar tu sinopsis. Tu trabajo es sobre lápices de labios. ¿Has traído el esquema?

—Si me permite que se lo explique...

—¿Has traído tu plan de trabajo?

—No.

—Justo como pensaba.

—Pero, míreme —declaré—. ¿Qué ve?

—Veo a un payaso que no ha hecho lo que se le encargó. no pienso convertir mi clase en un circo de tus ridículas mañas. Ahora, vete al instante al lavabo y quítate esa pintura verde.

—No es pintura.

—¡Fuera! —gritó la señorita Green, señalándome la puerta—. Y no vuelvas hasta que parezcas un ser humano normal.

6

Prueba

¿Era posible aquello? Tenía un trabajo con el que con seguridad ganaría el trofeo de plata por no mencionar que resultaba probable la designación de la señorita Green como mejor profesora de ciencias. ¿Y qué pasaba? Pues que ni siquiera me escuchaba.

Tenía además otro problema. La señorita Green me había dicho que no volviera hasta que me hubiese quitado la pintura verde. Pero no era pintura verde ni sabía yo qué hacer para volver a ser como antes.

Mientras regresaba andando a casa decidí que sólo podía hacer una cosa. Necesitaba hallar un medio de *probar* a la señorita Green lo que había conseguido. ¿Qué otra cosa era posible?

—¿Pero cómo? —me preguntaba a mí mismo—. ¿Cómo probar algo a alguien?

¿Por qué no me creyeron mis propios padres, ni siquiera el médico que me reconoció? Era obvio que de nada sirvió decírselo. Ni viéndome logré convencer a alguien. Pero tenía que existir algún medio. La gente creía ciertas cosas y no creía otras. ¿Por qué? ¿En qué radicaba la diferencia?

El camino hasta mi casa era muy largo pero no me importaba. Tenía que pensar.

Me detuve en el parque que hay en el centro de la ciudad y me senté en un banco junto al estanque para poder observar a los patos. Puse la fiambrera en las rodillas y la abrí. Mamá me había puesto mucha comida porque no había desayunado.

Como esperaba, seguía sin sentir hambre. No tenía el más ligero apetito. No volvería a comer jamás. Todo lo que necesitaba era luz del sol y agua. Fabricaba dentro de mí la comida, justamente como hace una planta. Me había convertido en una *planta humana.*

De repente sentí mucha sed.

Corrí a la fuente y bebí durante unos cinco minutos. Cuando terminé, advertí que había tres personas en cola tras de mí. Parecieron muy sorprendidos al ver mi verde cara.

—Es sólo pintura.

Las tres parecieron tranquilizarse.

Qué curioso, pensé. Habían creído algo que no era cierto sin ponerlo en duda. Pero si les hubiese contado la verdad, no me habrían creído por mucho que se lo explicara.

—Eh, soy una planta humana. Miren cómo me alimento de la luz del sol.

Vamos a ver, ¿quién se hubiera tragado eso? Tenía que hallar un modo de probarlo. Eso era todo lo que había que hacer.

Seguí caminando hacia casa, pensando intensamente. Pasé ante tiendas y restaurantes y estaciones de servicio. Crucé ante el Ayuntamiento, ante el Hotel Plaza y ante el edificio del *Daily Courier.*

El periódico.

Algo sucedió unos días atrás. A la hora del desayuno. Mamá y papá discutían acerca de algo. No recuerdo qué.

—¿Cómo lo sabes? —preguntó mamá.

—Lo dice aquí, en el periódico —respondió mi padre.

¡Eso era!

Si conseguía hallar un modo de que mi asunto apareciera en el periódico, ésa sería toda la prueba que yo necesitaba. La señorita Green me creería y también me creerían mis padres y cualquier otra persona.

Me recogí la camisa dentro del pantalón, empujé con las dos manos la pesada puerta de cristal y entré en el edificio del periódico.

—¿Qué eres qué?

—Soy una planta.

—¿Qué?

—P-L-A-N-T-A —recalqué ante el hombre calvo que llevaba unas gafas de cristales de culo de vaso, sentado tras una mesa tan llena de papeles que apenas podía verle. El cartel en la puerta de su despacho decía: JEFE DE REPORTAJES.

—Sé que es difícil de creer —continué—, pero permítame explicárselo.

La expresión que empleaba mi padre tuvo resultado porque el hombre guardó silencio y me dejó hablar. Hacia la mitad de mi relato me detuvo. Sacó de su mesa un pequeño magnetófono e hizo que empezara de nuevo.

Cuando terminé, el periodista tocó un botón y habló ante una pequeña caja de plástico que había sobre su mesa.

—Señorita Padilla —dijo—, consígame un fotógrafo y pronto.

Me observó por encima de las pilas de papeles de su mesa.

—Ya tenemos un buen reportaje para el número de mañana.

—El periodista me creyó —expliqué al abuelo cuando llegué a casa—. Mi relato aparecerá mañana en el periódico. Ahora todo el mundo me creerá.

El abuelo no parecía muy entusiasmado.

—No te preocupes de los demás —me dijo—. No importa lo que piensen.

A la mañana siguiente me puse el batín y fui hasta la acera a buscar el periódico. Al parecer lo reparten a las seis en punto. Y llegó a tiempo.

Abrí el periódico y desde luego allí estaba yo, en una

foto en color en la portada del tercer cuadernillo. No era una mala foto. Estaba sonriendo con las manos alzadas.

Coloqué el periódico sobre la mesa de la cocina, en el sitio de papá para que no se lo perdiera. Todo estaba ya dispuesto. Ahora sólo quedaba aguardar.

—¿Te has fijado en esto? —dijo mi padre cuando se sentó ante la mesa y mirando una página que no era la que debiera haber visto— El Presidente llega a nuestra ciudad la próxima semana.

—¿Quieres decir el Presidente de los Estados Unidos? —preguntó mi madre.

—Pues naturalmente. Aquí lo dice.

—¿Y para qué?

—Dice que viene a hablar con los miembros de una organización llamada *AHM*, Alto al Hambre en el Mundo. Ese grupo al que querían afiliarnos los Applegate.

Sentía ganas de chillar.

Allí estaba mi cara bien visible, bajo las propias narices de mi padre y él no la veía. Todo lo que se le ocurría era hablar del Presidente y de ese grupo al que pertenecían los padres de Peggy Applegate.

Paciencia, me dije. Ya lo verá. Dale tiempo.

Mi padre siguió leyendo acerca del Presidente.

—Allen —preguntó mi madre—. ¿Tienes ganas de desayunar? No quiero que vuelvas a ponerte malo.

—Sólo un vaso de agua, mamá.

Y entonces mi padre lo vio.

Me di cuanta porque los huevos revueltos que se llevaba a la boca cayeron de golpe al plato.

No dijo nada durante muchísimo tiempo y después, mirándome, declaró:

—Dime que no es cierto, Allen.

—Lo es papá. Puedes leerlo ahí, en el periódico.

Mi padre tomó el periódico y leyó en voz alta el titular: «Planta Humana. Sólo come luz solar. La asombrosa y auténtica historia de Allen Brewster.»

Entregó el periódico a mi madre y añadió:

—¿Qué dirán los vecinos? ¿Y los compañeros de la oficina?

—Oh, Allen —dijo mi madre cuando vio el periódico—, ¿qué es lo que has hecho?

—Lo he probado. Eso es lo que he hecho. He conseguido que lo publicara el periódico. Me creeréis ahora, ¿verdad?

—Escúchame, Allen —dijo mi padre, pasándose la mano por la nuca—. Y escúchame bien. Cada semana este periódico publica algún reportaje sensacionalista. La se-

mana pasada fue un pastor que se preparaba para subir a los cielos. El pobre hombre había vendido su casa y todo lo que tenía. Lo hacen para vender ejemplares. Eso no demuestra nada.

—¿No?

—En realidad, empeora las cosas.

—¿Quieres decir que tampoco me creerá la señorita Green?

—No te creerá nadie que esté en su sano juicio. Y además, atiende: estoy cansado y harto de oírte hablar de tu descubrimiento, estoy cansado y harto de que no comas. Eres un chico de nueve años como los demás chicos de nueve años. No eres una planta. El asunto está concluido. ¿He hablado claro?

—Sí —dije—, muy claro.

7

Problemas

No sabía qué hacer.

No podía ir a la escuela porque todavía estaba verde. No podía bajar a desayunar porque no era capaz de comer. Así que hice lo único que me resultaba posible: me quedé en la cama.

Y no me refiero tan sólo a unas cuantas horas. Me quedé en al cama durante toda una semana.

Mamá pensaba sencillamente que me encontraba enfermo y por tanto me traía la comida en una bandeja que, a mi vez, yo daba a Lince y a Rosquillas en cuanto ella salía del dormitorio.

Peggy Applegate, que vive dos casas más allá, me trajo las tareas para casa de tal modo, que no me quedé retrasado en mis estudios.

Había trasladado la cama hasta la ventana para aprovechar bien la luz del sol.

Y la aproveché, es decir, hasta que llegó el mal tiempo.

Llovió durante cuatro días y cuatro noches. Al despertar la mañana del quinto día descubrí que me hallaba tan débil que no podía moverme. Carecía totalmente de energías. Algo iba muy mal y yo sabía exactamente lo que era.

Necesitaba luz del sol. Me moriría si no la conseguía.

—Ya veo que estás mejor —dijo mi madre al entrar en mi habitación con un tazón de caldo de pollo.

—¿Por qué mamá? —le pregunté, apenas sin voz.

—No pareces tan verde como ayer. El médico dijo que te desaparecería. ¿Ves? Al fin y al cabo eres un chico y no una planta.

Qué error, pensé para mí. Obviamente yo era una planta de exterior y no de interior.

—Mamá —me esforcé por decir—. ¿Qué dice el hombre del tiempo?

—Que lloverá más. Puede durar otra semana.

Magnífico, pensé. Acabaré como la planta que teníamos en el pasillo. Amarilleó, perdió vigor y murió. Yo no quería morir. Ni siquiera había cumplido diez años.

Mas ¿qué podía hacer? No me resultaba posible ir a la tienda y comprar un litro de luz solar como quien compra leche.

Y entonces se me ocurrió algo. Era sólo una posibilidad remota pero ya no tenía nada que perder.

—¿Quieres traerme la lámpara de mi mesa? —pregunté a mamá.

—¿Deseas también un libro?

—No. Sí —no me quedaban energías para explicarme. Me sentía ya verdaderamente débil.

Mi madre trajo la lámpara y la enchufó.

—Enciéndela —murmuré.

—¿Qué dices, cariño?

Me sentí demasiado débil para repetir lo que había dicho. Percibí cómo se cerraban mis ojos. Y entonces todo se volvió negro.

No sé cuanto tiempo permanecí inconsciente pero cuando desperté una luz brillante resplandecía sobre mi cara. Me sentía mejor. Mucho mejor. La lámpara me había salvado la vida.

Llamaron a la puerta.

—¿Puedo pasar, Allen?

—Pues claro que sí, abuelo —respondí, sentándome en la cama.

Apareció el abuelo con el televisor portátil que tenía en su habitación.

—Pensé que te gustaría ver conmigo la televisión.

—¿Qué ponen? ¿Una película de monstruos?

El abuelo dice que no le asustan si las ve conmigo.

—Algo acerca de un pepino gigantesco que aterroriza a toda una ciudad.

—Magnífico.

El abuelo puso el televisor sobre mi mesa. Se agachó para enchufarlo.

—Déjame a mí —dije, saltando de la cama. Me metí debajo de la mesa y enchufé el televisor.

—Parece que te encuentras mejor —comentó—. Está volviendo tu color verde. Pero no me gustan esos puntitos verdes por toda la cara.

El abuelo acercó mucho su rostro al mío.

—¿Qué puntitos verdes? ¿Quieres decir gorgojos?

—No —respondió el abuelo—. Estos más parecen *áfidos,* como los de mi melocotonero.

—No quiero tener bichos —me sentía verdaderamente asustado. Comencé a quitármelos de la cara con las manos. Y entonces los vi también por mis brazos y empecé a sacudirme también los brazos—. Ayúdame, abuelo.

—Quiero. Iré por el insecticida.

Cuando el abuelo volvió con el insecticida me dijo que me metiese en el baño.

—Ahora cierra bien los ojos —me advirtió— y no respires.

—Aprisa, abuelo. Se mueven por toda mi piel.

El abuelo me roció a conciencia. Y después me duchó inmediatamente. Los áfidos habían desaparecido. Buen viaje.

—¿Cómo es posible que nadie más que tú crea que soy una planta? —pregunté al abuelo cuando nos sentamos a ver la película.

—Es fácil de explicar —replicó mientras conectaba el televisor. El abuelo tiene respuestas para todo—. ¿Recuerdas lo que te conté acerca del bocadillo de queso?

—¿Y de la tina de oro?

—Sí. Mira, si ese obrero hubiese ido a ver un día a su jefe y le hubiese dicho que añadiera un bocadillo de queso al oro, ¿qué crees que hubiese respondido el jefe?

—Pues hubiese respondido que estaba loco.

—¿Por qué?

—Porque no lo entendía.

—Exacto.

—¿Cómo podemos entonces, abuelo, lograr que la gente lo entienda?

—Ese es el secreto, Allen. Tú no haces que entiendan.

—¿Cómo?

—Tú se lo dices.

—No lo comprendo.

El abuelo se dirigió hacia mi estantería y volvió con uno de los volúmenes de mi enciclopedia.

—¿Crees en lo que hay aquí, verdad?

—Sí.

—¿Sin dudar, sin pruebas?

—Sí.

—¿Por qué?

—Porque no estaría allí si no fuese verdad.

—¿Por qué?

—Porque es la enciclopedia.

—Y a una enciclopedia se la respeta por decir la verdad.

—Y por eso la creemos.

—Exacto, Allen.

—Y a la persona que escribió acerca de mí en el periódico no se la respeta por decir la verdad, así que nadie se lo creyó aunque lo que escribió fuese cierto.

—Exacto de nuevo, Allen.

—Así que todo lo que necesito es encontrar a alguien a quien todo el mundo respete y lograr que esa persona diga que soy una planta. Entonces todo el mundo me creerá.

—Exacto por tercera vez —repuso el abuelo, agitando un brazo en el aire.

—¿Pero en dónde encuentro yo a semejante persona?

El abuelo pareció entristecerse.

—No lo sé.

Nos quedamos silenciosos por un momento; entonces prestamos atención a la televisión y en el telediario apareció el Presidente de los Estados Unidos. Estaba pronunciando un discurso en la escalinata del Ayuntamiento de la ciudad.

Lentamente el abuelo y yo volvimos nuestras cabezas y nos miramos.

8

El Presidente

¿Cómo consigue uno llegar al Presidente de los Estados Unidos?

¿Basta con llamarle por teléfono?

—Hola. Me llamo Allen Brewster. Tengo nueve años y me preguntaba si estaría usted muy ocupado esta tarde porque en caso contrario, me agradaría que habláramos. ¿De qué? Bueno, pues mire, quiero explicarle a todo el mundo que soy una planta...

Eso nunca daría resultado. Pensaría que yo era una especie de chalado. No podía decir al Presidente por qué deseaba verle hasta que estuviese con él. ¿Pero por qué iba el Presidente a consentir en verme?

La respuesta a mi pregunta llegó el día siguiente cuando vi por la mañana el periódico. Había una foto del Presidente en la primera página. Se hallaba de pie bajo una enorme pancarta con unas letras impresas: *AHM* y daba la mano al padre de Peggy Applegate, el señor Applegate.

Recordé que el día en que mi fotografía apareció en el periódico mi padre mencionó a una organización llamada *AHM* así que leí todo el artículo y descubrí que el señor Applegate era el presidente de la sección local de AHM, siglas de una organización llamada Alto al Hambre en el Mundo. Enviaban alimentos a los países pobres, para la infancia que pasaba hambre. Leí que el Presidente había prometido apoyar a *AHM* del modo en que le fuese posible, aunque nunca mencionó exactamente lo que iba a hacer.

Bien, yo sabía qué hacer. Con mi descubrimiento nadie volvería a saber lo que es el hambre. Sencillamente, las personas se convertirían en plantas.

Tenía una buena razón para ver al Presidente. Y ahora él tenía una buena razón para verme. ¿Pero querría ver a un chico de nueve años? Decidí escribirle una carta. De esa manera no sabría nunca cuál era mi edad, sobre todo si cuidaba la ortografía.

Después de varios intentos, ésta fue la carta que redacté.

Querido señor Presidente:

He leído en el periódico local un artículo sobre usted.

Dice que quiere acabar con el hambre en el mundo. Pues bien, yo he realizado un descubrimiento que le permitirá lograr este propósito. De estar interesado, hágamelo saber y le diré en qué consiste.

Gracias por anticipado.

Atentamente

Allen Brewster

Allen Brewster-Investigador

Estimé que, después de todo lo que había conseguido, bien podía llamarme a mí mismo investigador.

El periódico había dicho que durante su estancia en la ciudad el Presidente residía en el Hotel Plaza. Así que, cuando oí a mi madre que salía de compras, me vestí, cogí mi bicicleta y fui hasta allí. Temía que, si mi madre me veía, pensaría que estaba suficientemente bien para volver a la escuela. Pero no podía volver, no hasta que contase con una prueba para la señorita Green.

Di mi carta al empleado de la recepción del Hotel Plaza quien me prometió que se la entregaría al Presidente.

No quedaba otra cosa que hacer sino esperar.

Había llovido al comienzo de la mañana pero ahora sólo estaba nublado.

De pie en la galería posterior de la casa descubrí que no podía apartar los ojos de un charco en el huerto del abuelo. Como atraído por un gigantesco imán, me dirigí al charco y me quité los zapato y los calcetines.

Sonreía al meter un pie en la turbia agua. Sentí deslizarse entre los dedos del pie el barro viscoso y húmedo. Metí el otro pie. No puedo describir la sensación. Era como si de algún modo yo perteneciera a ese huerto del abuelo, como si jamás pudiera abandonarlo.

Alcé los ojos y vi al abuelo que estaba observándome.

—Lo siento, abuelo —dije— saldré de tu huerto ahora mismo.

—No seas tonto —respondió el abuelo antes de que yo pudiese moverme—. Te he reservado ese sitio.

—¿Sabes que las plantas no viven tan mal? —dije mientras hundía aún más en el barro mis dedos—. Viven afuera. Con todo el aire, y sin nada que hacer.

—Cuidan de sí mismas —añadió el abuelo— sin molestar a nadie. Me gustaría poder decir lo mismo de las personas.

—Lástima que no puedan leer —declaré—. Yo seguro que echaría de menos mis enciclopedias.

Y entonces mi padre apareció por la puerta de atrás. Había vuelto pronto del trabajo.

—¿Pero qué diablos estás haciendo? —me gritó.

—Nada —respondí, preguntándome a qué se referiría.

—Sal de ese charco al instante, lávate y ven adentro. Hay alguien aquí que quiere verte.

¿Alguien que había venido a verme? Me pregunté si sería el Presidente.

El abuelo lavó mis pies con la manguera y luego me dio una camiseta vieja para que me los secara. Mientras secaba mis pies, sentí unos bultitos en la parte inferior de mis dedos. Me retorcí el pie y los examiné. Bajo la superficie de la piel había algunas manchas oscuras. Parecían abrirse camino hacia afuera.

—¡Abuelo! —grité—. Ven a ver esto.

El abuelo examinó la parte inferior de mis dedos de los pies.

—¿No serán lo que yo pienso que son, verdad?

—Pues claro que son —el abuelo sonreía—. Estás echando raíces, muchacho.

—¿Qué hubiera pasado de haberme quedado más tiempo en el barro? ¿Habrían agarrado? ¿Podría haberme escapado? ¿Tendría que haber pasado en el huerto el resto de mi vida?

El abuelo no contestó. Se limitó a reír entre dientes.

—¡Abuelo! —me puse los calcetines y los zapatos tan rápidamente como pude y entré en casa.

En el cuarto de estar me aguardaban tres personas. El Presidente de los Estados Unidos no era ninguna de ellas. Allí estaban mamá, papá y un hombre alto y grueso, que fumaba un cigarrillo y al que me presentaron como el doctor Wedemeyer.

—Yo soy un psiquiatra —afirmó el hombre al tiempo que arrojaba humo por su nariz y por su boca.

—Usted es un loquero.

—Allen —dijo mi madre.

—Perdón.

El doctor Wedemeyer sonrió, manteniendo apretados sus labios como si se esforzara por no enseñar sus dientes.

—Tus padres me han pedido que venga a habla contigo porque se sienten preocupados. Dicen que no comes. Dicen que das tu comida al perro y al gato, ¿es cierto eso?

—Sí —y yo que creía que había conseguido engañarles durante todo ese tiempo. Supongo que al fin y al cabo mis padres son bastante listos.

—¿Por qué no comes? —preguntó el doctor Wedemeyer.

—Si se lo digo, no me creerá. Excepto el abuelo, nadie me cree.

—Prueba a ver —repuso el psiquiatra mientras echaba humo por una de las comisuras de sus labios.

—De acuerdo —declaré—. Soy una planta.

—Te creo.

—¿Sí?

—Sí, Allen. Creo que tú piensas que eres una planta —el individuo apagó su cigarrillo en el cenicero—. ¿Qué clase de planta eres?

—No lo sé. Jamás pensé en esa cuestión.

—Las plantas, Allen, tienen raíces, ¿tienes tú raíces?

—Sí. Pequeñas.

—Enséñamelas.

Me quité los zapatos y los calcetines y mostré al doctor Wedemeyer las manchas oscuras en la parte inferior de los dedos de los pies. También se los enseñé a mamá y a papá. Mamá se echó a llorar.

El doctor Wedemeyer escribió algo en un cuadernito.

—Tus padres me han dicho que te encantan los helados de plátano, vainilla y nueces.

—Son mis favoritos —repliqué—. Quiero decir que lo eran hasta que me convertí en un planta.

—Pues ahora tengo uno en la cocina, ¿te gustaría probarlo, Allen?

—Me sentaría mal y no le encontraría sabor.

—¿Cómo es eso?

—Ya no poseo papilas gustativas —saqué la lengua y mi madre empezó de nuevo a llorar.

El doctor Wedemeyer tocó mi lengua.

—Tiene razón —informó a mis padres—. Tan lisa como si fuese metálica.

—Tal como van las cosas —declaré— no me extrañaría que a la próxima primavera me salieran hojas y quizás algunas nuevas extremidades.

El doctor Wedemeyer siguió escribiendo en su cuadernito. Observé que sus labios se movían. Me miró e inclinó su cabeza hacia un lado.

—¿Por qué tienes esa postura, Allen?

—¿Qué postura? —y entonces me di cuenta de que estaba inclinado en dirección a la lámpara de la mesa. Me sentí un tanto violento—. Lo siento. No me fijé. Pero ya sabe usted que las plantas crecen en dirección a la luz.

El doctor Wedemeyer hizo nuevas anotaciones.

Mientras estaba allí de pie, observándole, me sentí aliviado. Por fin había sido capaz de convencer a alguien. Después de todo ya no necesitaba al Presidente.

El psiquiatra dejó a un lado su cuadernito y encendió otro cigarrillo. El segundo en menos de quince minutos.

—Tienes una enfermedad *psicosomática* —dijo, sonriendo de nuevo y con los labios apretados. Se echó hacia atrás en el sofá y cruzó las piernas.

—¿Qué quiere decir psicosomática?

—Significa, Allen, que todo está en tu mente. Crees que eres una planta. Lo crees tanto que comienzas a comportarte como una planta. Eso explica el color de tu piel, el que no comas, tus raíces y la ausencia de papilas gustativas, todo. Eres una planta porque *piensas* que eres una planta. Todo está en tu mente.

—No es que *piense* que soy una planta —insistí—. *Sé* que soy una planta.

—Ya está bien —dijo mi padre, acercándose a mí—. Has oído lo que ha dicho el doctor Wedemeyer, ¿qué hace falta para que te convenzas?

—¿Yo? ¿Qué hace falta para que te convenzas tú?

—Nada me convencería. Aunque consiguieses que el Presidente de los Estados Unidos me dijera que eres una planta, seguiría sin creerlo. Eres mi hijo. Y mi hijo no es una planta.

Sonó el timbre de la puerta. Era un hombre con un telegrama.

—Es para ti, Allen —dijo mi madre con un gesto curioso en su cara cuando me entregó el telegrama—, del Presidente de los Estados Unidos.

9

Alto secreto

Después de aquello, los acontecimientos se desarrollaron con tanta rapidez que me cuesta trabajo recordarlo.

El telegrama decía que un coche me recogería a las tres de aquella tarde. Expliqué a mis padres todo lo referente a la carta. No me dijeron nada, se quedaron de una pieza.

A las tres y diez llegó un coche de color pardo, con dos hombres. Los dos eran altos y morenos. Los dos iban correctamente vestidos. Los dos llevaban gafas oscuras.

Me condujeron al Hotel Plaza. Subimos en el ascensor hasta el ático. Nadie dijo una palabra.

En el ático fui recibido por un hombre de pelo blanco que pareció muy decepcionado.

—Pero si eres un niño —dijo— y un niño de color verde.

Fuera quien fuese, aquel individuo *no* era el Presidente de los Estados Unidos, cuya imagen conocía.

—Lo siento, señor —respondí—. Pero temí que si el Presidente conocía mi edad no hubiese querido recibirme.

El hombre de pelo blanco reflexionó por un momento y advertí en su frente varias filas de arrugas.

—Tienes razón —reconoció—. No te habría recibido.

—No mentí, señor. Si el Presidente me lo hubiese preguntado, le habría dicho mi edad. Fue sólo que...

El hombre agitó su mano, indicando que no deseaba volver a referirse al asunto.

—Me ha impresionado tu ingenio.

Sonreí. Así era yo.

—¿Puedo ver ahora al Presidente? —pregunté.

—No está aquí.

—¿Cómo?

—El Presidente ha tenido que regresar a Washington. Ha de ocuparse de gobernar el país, ya sabes. Pero no te preocupes. Yo soy uno de los principales consejeros del Presidente. A propósito, me llamo Kirby.

Nos estrechamos las manos y el señor Kirby me condujo a una salita del ático, con una alfombra azul, muebles blancos y cortinas rojas. La vista era impresionante.

—El Presidente —prosiguió el señor Kirby— me ha dado órdenes estrictas de tratarte con el más profundo respeto, aunque sólo seas un niño.

—Ya sé lo que son órdenes estrictas —dije riendo. Pero el señor Kirby no se rió.

—En tu carta —declaró el señor Kirby, tras acomodarse en uno de los sofás— decías algo acerca de un descubrimiento que acabaría con el hambre en el mundo, ¿era cierto o simplemente tu ingenio se había desbordado?

—Es la pura verdad, señor. Lo juro.

El señor Kirby me dirigió una prolongada mirada y en su frente volvieron a aparecer las arrugas.

—Tengo curiosidad por saber cómo enfoca ese problema un chico de tu edad —hizo un gesto, señalándome un mullido sillón—. Siéntate y cuéntamelo.

Hablé con el consejero del Presidente toda una hora. Le expliqué mi descubrimiento y lo referente a la señorita Green y el trofeo de plata. Y a mis padres y al doctor Wedemeyer y el hecho de que nadie me creyese a excepción del abuelo.

—Tampoco espero que usted me crea sin pruebas. Pero me parece que he hallado un modo de demostrarlo.

—¿En qué consiste? —el señor Kirby me observaba sin pestañear.

—Puede observarme —le dije— durante una semana, un mes o el tiempo que haga falta. No tomaré nada. Nada en absoluto excepto agua y luz solar. Haga que un médico me reconozca diariamente. Verá que me conservo sano sin comer. Y si funciona conmigo, también funcionará con todos los que padecen hambre en el mundo. ¿Qué le parece?

El señor Kirby permaneció inmóvil por un instante, luego saltó del sofá y se fue a otra habitación. Vi que hablaba por teléfono aunque no pude oír lo que decía.

Cuando regresó a la salita parecía muy serio.

—El Presidente dice que adelante.

—¡Bien!

Al principio mi padre dijo que no a todo el asunto, pero, tras recibir una llamada telefónica del propio Presidente, cambió de opinión.

Los diez días siguientes transcurrieron rápidamente.

Me quedé en el hotel con el señor Kirby. Ibamos a nadar todos los días, teníamos largas conversaciones y por las noches veíamos juntos la televisión. Al Consejero del Presidente le gustaban, como al abuelo, las películas de monstruos.

Antes de acostarme cada noche, era reconocido por un equipo de médicos. Resultaba verdaderamente divertido. Hacían toda clase de pruebas, murmurando para sí cosas como «sorprendente» o «no puedo creerlo».

También me hacían muchísimas preguntas acerca de mi descubrimiento, como la clase de manteca de cacahuete que empleé. ¿Era del tipo cremoso o crujiente? ¿Qué especies de peces tenía mi padre en su acuario de agua salada? Había que haber visto las caras que pusieron cuando les conté que uno de los ingredientes utilizados fue hígado.

—¿Cómo pudiste bebértelo? —preguntó uno de los médicos, haciendo un gesto de repugnancia.

—No fue fácil —le respondí.

Los médicos me dijeron que tenían a sus ordenadores trabajando las veinticuatro horas del día y ensayando diferentes combinaciones de mis ingredientes para repetir mi experimento. Todo aquello me recordaba la historia del abuelo acerca del bocadillo de queso y la tina del oro.

Al cabo de diez días, tiempo durante el cual no tomé nada excepto agua —rechacé cualquier fertilizante— el consejero del Presidente suspendió las pruebas.

No parecía muy contento cuando nos reunimos a hablar, así que le pregunté.

—¿Qué es lo que ha ido mal? Lo demostré, ¿no es cierto?

El señor Kirby no me respondió inmediatamente. En vez de eso me dio dos pildoritas de color blanco y un vaso de agua.

—Tómate una de éstas, Allen —dijo—. Y por la mañana, si es preciso, te tomas la otra.

—¿Para qué son estas píldoras?

—Te devolverán a tu estado normal. Nuestros ordenadores determinaron que se trata simplemente de aumentar el número de glóbulos rojos hasta que quede neutralizado el efecto del magnesio.

—Entonces lo demostré, ¿verdad?

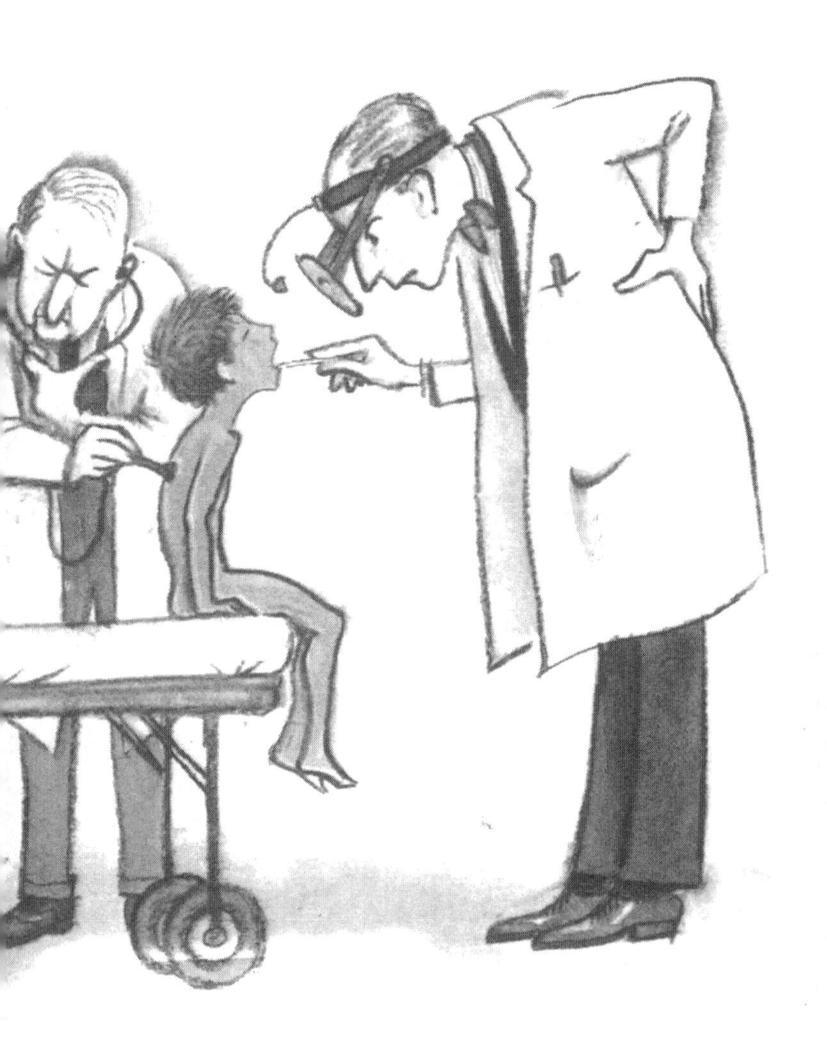

—No puedo decírtelo.

—¿Qué significa eso de que no puede decírmelo?

—El descubrimiento de la fotosíntesis humana ha sido clasificado como ALTO SECRETO, lo que significa que cualquier revelación no autorizada podría significar un grave peligro para la nación.

—No lo entiendo, señor Kirby.

—Lo que estoy diciéndote, Allen, es que tu descubrimiento es considerado muy, muy importante para la seguridad del país. Tan importante que sólo muy pocas y escogidas personas se hallan autorizadas para saber si realmente funciona o no funciona. Y me temo que *tú* no eres una de ellas.

—Pero fue idea mía.

—Ya no lo es, Allen. Ahora pertenece al Gobierno.

Me sentí más desconcertado que nunca.

—Mi descubrimiento acabará con el hambre en el mundo, ¿no es eso una buena cosa?

—Sí, lo es. Pero en tu descubrimiento hay muchas cosas malas.

—¿Cómo qué? ¿Cómo puede ser malo tal descubrimiento? —pregunté.

—Pues porque significaría el colapso de toda la economía —replicó el señor Kirby— quebrarían muchas empresas y millones de personas perderían sus puestos de trabajo.

—¿Por qué?

—Porque si la gente no precisa comer, entonces ya no se necesitan alimentos. ¿Y sabes, Allen, que la industria alimenticia, es la mayor del país?

—No, no lo sabía.

—Tu descubrimiento dejaría sin trabajo a los agricultores y a los ganaderos y a los pescadores y a todas las personas que transforman alimentos, que los envasan y que los llevan al mercado. Por no hablar de los supermercados, de los restaurantes y de las hamburgueserías. Ya no habría necesidad de pan, de leche, ni de frutas, ni de verduras ni de tarteras, ni de termos y ni siquiera de palillos de dientes.

—¿Palillos de dientes?

—Si la gente no come, nada se le meterá entre los dientes, ¿no es cierto?

—No había pensado en eso —repuse—. ¿Pero no podrían encontrar todas esas personas otra cosa que hacer?

—Esa es la segunda cosa mala de tu descubrimiento —declaró el consejero del Presidente—. Una de las razones principales por las que las personas trabajan es la de que tienen que comer. Con tu descubrimiento la gente dejaría de trabajar. Y si nadie trabaja, ¿cómo va a seguir funcionando el Gobierno? El Gobierno necesita cobrar impuestos de los que trabajan, así es como consigue el dinero. Pero si nadie trabaja...

—¿Y no podría el Gobierno ganar el dinero del modo que hacen otras personas?

—No seas ridículo —repuso el señor Kirby riendo—. ¿Qué es lo que íbamos a hacer? ¿Vender aspiradoras?

—Pues claro, si así se consigue que la gente no se muera de hambre.

El señor Kirby me miró como si acabaran de darle un golpe en la cabeza.

—Lo siento, Allen. Pero las órdenes que he recibido proceden del propio Presidente. Tu descubrimiento tiene que ser considerado como ALTO SECRETO. Has de prometer que jamás dirás a nadie cómo lo hiciste.

—¿Ni a mis padres? ¿Ni a la señorita Green?

—A nadie, ¿lo prometes?

Miré al suelo.

—Sí —dije—. Lo prometo.

10

La Exposición de Ciencias

Tal como sucedieron las cosas resultó que, después de todo, mi trabajo fue admitido en la Exposición de Ciencias.

Probablemente, el Presidente tuvo lástima de mí porque me envió un regalo. Completamente montado, alcanzaba casi dos metros de altura y aproximadamente las misma anchura. Consistía en cuatro paneles ensamblados con infinidad de fotografías, gráficos, diagramas, un texto de más de cien páginas mecanografiadas y varias muestras. Era un trabajo de Ciencias sobre BARRAS DE LABIOS.

Desde luego el trabajo parecía bueno. Desde luego, podría ganar un premio. Desde luego ya no estaba verde, lo que significaba que podía volver a la escuela. Desde luego un trabajo como éste significaba que al año siguiente no tendría que repetir Ciencias con la señorita Green. Desde luego debería haberme sentido feliz. Pero no lo estaba. Y la razón era muy sencilla: el trabajo no era mío.

Yo había conseguido algo verdaderamente grande: el descubrimiento de la fotosíntesis humana. Algo que nadie había hecho antes y sin embargo no podía decírselo a nadie. El Presidente me había obligado a prometérselo.

Mis padres se alegraron al verme de nuevo normal y comiendo pero sobre todo les gustaba no oír nada más acerca de mi descubrimiento. El señor Kirby les dijo que todo lo que me había pasado estaba en mi mente, lo que satisfizo a mi padre porque era lo que él había estado diciendo todo el tiempo.

Sólo el abuelo supo que algo había ido mal.

—¿Qué pasó? —me preguntó al tiempo que me tomaba de la mano para alejarme de la galería trasera.

—No puedo decírtelo, abuelo.

—No tienes que decírmelo —dijo, dando una patada al aire—. Puedo figurármelo. Carecen de imaginación para ver cuán diferentes podrían ser las cosas, así es que hacen como si tu idea no existiera. Esperan que se esfume. Pero no será así. No, señor Allen Brewster, no será así.

No dije nada. Pero desde luego me alegró que el abuelo me creyera, aunque la señorita Green y mis padres jamás sabrían la verdad.

—*Nunca sabrán la verdad* —me sorprendí repitiendo en voz alta esas palabras.

¿Por qué no se me había ocurrido antes? Era el modo perfecto de convencer a la señorita Green, de demostrárselo de una vez por todas y, al mismo tiempo, de mantener la promesa què hice al Presidente.

No resultaría fácil. En realidad había muchas probabilidades de que no tuviese éxito. Pero desde luego iba a intentarlo. Corrí escaleras arriba, camino de mi habitación.

Tenía trabajo que hacer.

Llegó el día de la Exposición de Ciencias.

La Exposición de Ciencias es una de las cosas más importantes que ocurren cada año en nuestra ciudad. Allí están representadas escuelas primarias y secundarias de todo el condado. Dura sólo un día y se celebra en el recinto de la Universidad del Estado. La calificación de los trabajos, que se exhiben en el gimnasio, tiene lugar por la mañana. Más tarde se entregan los premios en el auditorio. Después, se celebra una gran merienda en el campo de fútbol. Todo el mundo aporta algo. Mamá llevó hígado a la cazuela.

Me levanté temprano y me fui en la bici a la Exposición. La noche antes papá y yo habíamos montado mi trabajo en el gimnasio como los demás chicos. Deseaba echar un vistazo a mi instalación antes de que llegasen los jueces. Para que mi plan tuviese éxito todo tenía que ser perfecto.

Al entrar en el gimnasio tropecé con la señorita Green. Fue como chocar con un camión.

—Acabo de ver tu trabajo —dijo la señorita Green, mientras me recogía del suelo y me quitaba el polvo—. Estaba segura, Allen Brewster, de que tendría que suspenderte pero con un trabajo tan magnífico, sencillamente no puedo hacerlo.

—Gracias —respondí.

El certamen se inició a las diez en punto. Se exigía que cada alumno estuviese presente para responder a las preguntas que le fueran formuladas. Peggy Applegate estaba a mi lado con su granja de hormigas. Barry Cramer estaba al otro lado con un trabajo sobre la compresión en el motor de explosión de las motos, que probablemente había hecho su padre.

Cuando los jueces empezaron a hablar con Peggy, me di cuenta de que faltaban las barras de labio que traía de muestra. Miré a Barry. Sus bolsillos abultaban.

—¿Te preocupa algo? —me dijo con esa desagradable sonrisa típica de él.

No había contado con eso. Aquel idiota de Barry Cramer iba a echar abajo mi plan.

Mientras pensaba qué haría, los jueces se congregaron en torno de mi trabajo.

—Excelente —declaró el primer juez, mientras acomodaba sus gafas y examinaba mis fotografías y mis gráficos.

—Bien hecho —dijo la segunda jueza, que llevaba guantes blancos, mientras hojeaba mi texto.

—¿Tienes muestras? —preguntó el tercer juez, un individuo alto y de barba puntiaguda.

—Sí, señor —le respondí.

—¿En dónde están? No las veo.

—Se las entregué a mi ayudante para que las limpiara —miré hacia Barry Cramer y los jueces hicieron otro tanto—. ¿Has terminado de sacarlas brillo, Barry?

—¿De qué estás hablando? —preguntó Barry, nervioso.

Señalé a sus abultados bolsillos.

—Estoy hablando de las barras de labios que tienes en tus bolsillos.

Barry comprendió que estaba atrapado y las entregó.

—Es un poco descuidado —declaré a los jueces—. Pero trabaja bien.

LABIOS a
historia
El color
Fucsia

Barras de labios
y la revolución
industrial

Di a los jueces las muestras para que las examinaran.
Media hora más tarde los jueces regresaron y colocaron una cinta azul en mi trabajo. Había ganado el premio al mejor trabajo de Ciencias de cuarto grado.
No soy capaz de explicar lo mal que me sentí. Era injusto.
Algunos de aquellos chicos habían trabajado mucho, y yo no había hecho nada. La cinta azul no me la merecía. Comprendí allí y entonces que no podía aceptarla.
Cuando estaba a punto de decir algo a uno de los jueces apareció la señorita Green y me plantó un beso enorme y baboso en una mejilla.
—Enhorabuena, Allen —dijo.
—Gracias —sequé mi mejilla con una manga de la camisa. Jamás había visto así antes a la señorita Green. Parecía casi humana.
—Me siento tan orgullosa de ti —declaró— y se quedó allí quieta, mirándome.
—En realidad, no tiene importancia.
Entonces decidí que había llegado el momento. Me acerqué a mis barras de labios y le pregunté:
—¿Quiere usted una, señorita Green?
—¿Para mí? —preguntó, apuntando con el pulgar hacia su pecho.
—Sí. Pero desearía pedirle un favor.
—Cualquier cosa, Allen.
—Pruébelo.
La señorita Green titubeó.
—No suelo pintarme.
—Por favor. Significa mucho para mí.
—De acuerdo. Lo haré por ti —la señorita Green exa-

minó las muestras, leyendo los diferentes nombres—. Creo que probaré con Amarillo Tomate.

—Buena elección —añadí sonriendo.

Observé cómo se pintaba la señorita Green. Sus labios eran anchos, especialmente el inferior que fruncía y movía tanto. Luego, igual que hace mamá, la señorita Green se pasó la lengua en torno a los labios, lamiéndolos.

11

Los premios

Todo se desarrollaba de acuerdo con mis planes.

A la una llegó el momento de la entrega pública de los premios y todos nos congregamos en el auditorio.

Unos minutos antes salí al aparcamiento y localicé el coche de la señorita Green. Anoté el número de su matrícula en un pedazo de papel. Todo formaba parte del plan.

Me sorprendió ver a tanta gente en el auditorio. Estaban ocupados casi todos los asientos. En el escenario había una fila de sillas en las que se sentaban personas de aspecto distinguido y, a la derecha, había un podio con un micrófono. Al pie del escenario, en tres largas mesas, se hallaban expuestos los premios. En medio de la mesa del centro, estaba el *trofeo de plata*. Resplandecía y realmente era muy bonito.

Saludé con la mano a papá, a mamá y al abuelo, que aparecieron justo cuando subió al podio el primer orador. Me alegró que hubiesen llegado tarde porque así tendrían que sentarse atrás y no podrían ver bien lo que iba a suceder.

No me senté con ellos porque el alumnado tenía que colocarse con su respectivo profesor de Ciencias, en unos asientos reservados para nosotros. Me las arreglé para sentarme a la derecha de la señorita Green y junto a ella.

Todo formaba parte del plan.

Los discursos fueron largos y aburridos. Por la forma en que hablaban algunos, hubiera podido creerse que eran ellos quienes habían hecho todos los trabajos.

Eché un vistazo a mi reloj. Miré a la señorita Green. Comprobé el contenido de mis bolsillos. En uno llevaba un espejito que había traído de casa. En el otro guardaba un bollo. Todo formaba parte del plan.

Un hombre alto y pelirrojo, que llevaba un traje a cuadros, subió al podio y empezó a leer los nombres de los premiados quienes sucesivamente se adelantaban y recogían sus galardones. Después de que pronunciaba un nombre muchos aplaudían y alborotaban.

Empezó con los premios de las escuelas primarias, después seguiría con los de las secundarias y al final anunciaría el gran premio, el trofeo de plata.

Miré de nuevo el reloj. Observé a la señorita Green, estudiando su cara. Una vez más repasé mentalmente mi plan.

Y entonces llegó el momento.

—Señorita Green —dije, tirándole de la manga.

—¿Qué pasa, Allen? —repuso la señorita Green, evidentemente molesta de que interrumpiese aquellos agradables instantes de la entrega de los premios.

—¿Es ésta la matrícula de su coche? —y le entregué el pedazo de papel.

—¿Cómo? Ah, sí —dijo, examinando los números—. Creo que sí. ¿Qué sucede?

—Se dejó las luces encendidas. Lo siento pero se me olvidó decírselo antes.

—¿Estás seguro, Allen, de que se trataba de mi coche?

—Claro, señorita Green. Por eso anoté la matrícula. Para asegurarme.

La señorita Green se fue por el pasillo, luego salió por una de las puertas laterales camino del aparcamiento. Fui tras ella. Tenía que alejar a la señorita Green de todo el mundo y no disponía de mucho tiempo.

Ya afuera, corrí hasta alcanzar a la señorita Green, tomándola del brazo.

—Dése prisa, señorita Green. Se gastará la batería.

—Tienes razón, Allen —respondió mientras comenzaba a dar largas zancadas por el aparcamiento—. Espero que lleguemos a tiempo.

Cuando nos detuvimos ante el coche, la señorita Green advirtió inmediatamente que las luces *no* estaban encendidas.

—Lo siento, señorita Green —dije—. Le hice una jugarreta.

—¿Que hiciste qué? —los ojos de la señorita Green se empequeñecieron—. Será mejor que tengas una buena explicación para esto.

—La tengo —repuse—. Pero quiero que me prometa que me escuchará. Sólo necesitaré cinco minutos.

La señorita Green volvió la cabeza hacia el auditorio.

—Pero te perderás la entrega de tu premio, Allen.

—Esto es más importante para mí —le dije.

—¿Más?

—Sí.

La señorita Green observó mi cara:

—Adelante, Allen.

Empecé a contárselo todo. Desde el principio. Todo.

incluso que el trabajo sobre lápices de labios no era mío y acerca de mi promesa al Presidente.

—No estoy faltando a lo prometido al Presidente —dije— porque no le diré *cómo* funciona. Sólo voy a convencerle de que funciona. No espero que me crea sin pruebas pero tengo pruebas. Créame, tengo la prueba que usted necesitará. Todo lo que deseo es que me crea, señorita Green.

La señorita Green se rascó la parte inferior de su barbilla. Mientras me observaba, sus ojos se contrajeron aún más.

—Veamos la prueba, Allen.

Eché mano al bolsillo, saqué el espejito y lo alcé hasta la cara de la señorita Green para que pudiera mirarse.

—Usted es la prueba, señorita Green. Se ha convertido en una planta.

12

El Trofeo de Plata

—¿*Qué* es lo que has hecho?

La señorita Green me arrebató el espejito y se miró. Su cara se había puesto de un verde intenso. Lanzó un chillido capaz de helar la sangre en las venas.

—¡Mira lo que me has *hecho*!

Se tiraba de sus carrillos y se frotaba la frente.

—No se preocupe —dije, sosteniendo en mi mano una pildorita blanca—. Tengo el antídoto para que vuelva a ser como era. Sólo se requieren cinco minutos. El consejero del Presidente me entregó dos píldoras pero yo sólo necesité una.

La señorita Green aún seguía mirándose en el espejito.

—¿Cómo? ¿Cómo lo hiciste?

—El lápiz de labios que le di. Lo hice muy concentrado para que actuara rápidamente. Después de pintarse, usted se pasó la lengua por los labios. Eso fue todo lo que se necesitó.

—¿Qué había en el lápiz de labios, Allen?

—Eso no puedo decírselo. Es ALTO SECRETO.

—¿Estás seguro, Allen, de que soy una planta? —la señorita Green no podía apartar los ojos del espejito—. ¿Estás absolutamente seguro?

Eché mano al bolsillo y extraje el bollo.

—Pruebe a comérselo. Ya verá.

La señorita Green trató de tomar un bocado del bollo pero no le fue posible.

—No lo consigo —dijo—. Me siento como si fuese a ponerme mala.

—Fíjese en su lengua.

—Está muy lisa.

—Las papilas gustativas están desapareciendo, pues no las necesita. Y tenga cuidado de no quedarse inmóvil mucho rato sobre barro o arena. Puede echar raíces.

—¿Raíces? —la señorita Green parecía muy asustada.

—Ser una planta no es tan fácil como usted cree. Ha de conseguir mucho sol y beber gran cantidad de agua y tener cuidado con los áfidos. Pero no se preocupe; si toma esta píldora, volverá a su estado normal en un abrir y cerrar de ojos.

Entregué la píldora a la señorita Green.

La sostuvo en la mano durante largo tiempo, observándola.

—¿No comprendes, Allen —dijo— lo importante que es este descubrimiento? Aguardé veinte años para encontrar en mi clase a alguien como tú. No voy a callármelo. Se lo diré a todo el que conozca. ¡Lo gritaré desde los tejados!

—Está perdiendo el tiempo —repuse, riendo—. Nadie la creerá. Y, en cualquier caso, el consejero del Presidente dijo que sería malo para el país.

—¡Tonterías! —declaró la señorita Green—. No debe ocultarse la verdad. En primer lugar, no deberías habérselo contado.

—¿Qué otra posibilidad me quedaba? Nadie más me hubiera escuchado.

—Simplemente, tenías que haberlo escrito, Allen. Deja que juzgue el futuro. No el presente.

Y tras decir esto la señorita Green lanzó la píldora con toda su fuerza, enviándola al otro lado del aparcamiento.

—Voy a volver al auditorio —declaró—. Cogeré el micrófono y lo anunciaré al mundo. ¿Tienes más barras de labios para poder demostrárselo a todos esos estúpidos que no nos crean?

—Sí —repliqué—. No sabía que tono elegiría usted así que preparé todo un lote. Están con mi trabajo.

—Magnífico. Vamos a recogerlos.

Titubeé.

—Señorita Green, quiero hacerle una pregunta.

—Venga.

—¿Cree usted que mi descubrimiento ganará el *trofeo de plata*?

La señorita Green sonrió. Jamás la había visto sonreír así.

—Puedes apostar hasta tu último dólar. ¡Y ahora, aprisa!

Eché a correr hacia la entrada del gimnasio para apoderarme de las barras de labios.

La señorita Green echó a correr por el aparcamiento, camino del auditorio.

Volví la cabeza justo a tiempo de ver a dos hombres saltar de un coche de color pardo y lanzarse sobre la señorita Green. La metieron por una de las portezuelas de atrás y partieron al instante.

Sucedió tan rápidamente que nada pude hacer.

Epílogo

La luz de mi linterna es tan tenue que apenas puedo ver para escribir estas últimas palabras...

En la escuela se anunció que la señorita Green había sido trasladada a otro distrito aunque, al parecer, nadie sabe exactamente cuál.

El abuelo cree que le ha sucedido algo malo. Dice que probablemente la han plantado en algún sitio.

Yo no estoy seguro.

¿Tú qué crees?

Y ahora escúchame, como has leído hasta aquí, conoces el secreto...

¡Ten cuidado!

Allen Brewster

Índice